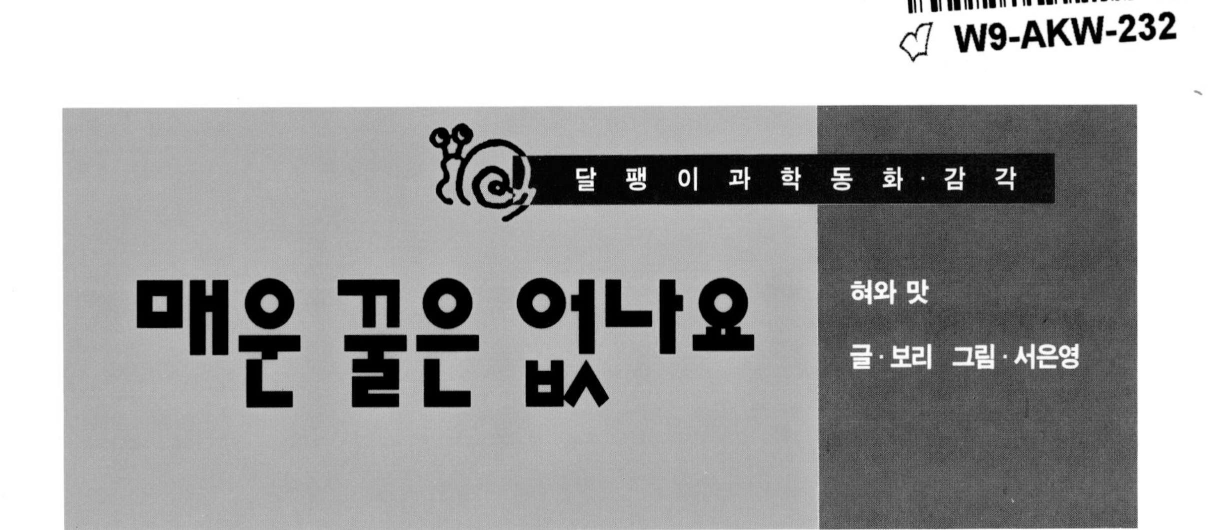
달팽이과학동화·감각
매운 꿀은 없나요
혀와 맛
글·보리 그림·서은영

웅진출판주식회사

넓고 넓은 바닷속에 거북 마을이 있었어요.
거북들은 바다에서 나는 음식을 먹고 살았어요.

어느 날 아침이었어요.

거북들이 아침을 먹으려고 한 자리에 모였어요.

"에이, 이제 짠 음식은 먹기 싫어."

아기거북이 밥 투정을 했어요.

"나도, 바다에서 나는 음식은 먹기 싫어."

"나도."

"나도."

다른 아기거북들도 투정을 부렸어요.

"그럼 내가 땅에서 나는 음식을 구해 올게."

거북 아저씨가 아기거북들을 달랬어요.

거북 아저씨는 부지런히 땅으로 올라왔어요.

"아이, 눈부셔. 땅은 참 따뜻하구나."

거북은 두리번거리면서 중얼거렸어요.

"캥캥, 넌 누구니?"

숲 속에서 여우가 폴짝 튀어나왔어요.

"난 바다에서 올라온 거북이야.

맛있는 음식들을 구하러 왔어."

거북이 웃으면서 말했어요.

"그래? 난 여우야. 내가 여러 가지 음식 맛을 보여 줄게."

여우는 거북을 놀려 줄 생각이었어요.

"날 따라와."

여우는 거북을 데리고 숲으로 들어갔어요.

"자, 이건 벌꿀이야. 어서 맛을 봐."

여우가 벌꿀을 내밀었어요.

'짭짭짭, 꿀꺽.'

거북은 꿀 맛을 보았어요.

"이야, 맛있다. 이건 무슨 맛이야?"

거북이 물었어요.

"으응, 꿀 맛은 매운맛이야."

여우가 시침을 떼고 말했어요.

"자, 이건 고추란다. 고추는 무척 달아."

여우가 고추를 몇 개 따 주었어요.

"여우야, 너도 먹어."

거북이 고추를 받아 들고 말했어요.

"아냐, 난 단맛을 싫어해."

여우가 팔을 휘휘 내저었어요.

거북은 고추를 덥석 깨물었어요.

'화끈화끈.'

입에서 불이 난 것 같았어요.

"아이고, 달다."

거북은 혀를 빼물고 어쩔 줄 몰랐어요.

여우는 속으로 낄낄 웃어 댔어요.

"이 과일은 쓴맛이 나."

여우가 석류를 따 주었어요.

'우적우적.'

거북은 석류를 깨물어 먹었어요.

"으휴, 써."

거북이 눈을 질끈 감고 목을 움츠렸어요.

"신맛이 나는 것도 먹어 봐야지.
자, 이건 씀바귀인데 신맛이 난단다."
여우가 샐쭉 웃으면서 씀바귀를 캐 주었어요.
'깨작깨작.'
거북은 씀바귀를 조심스럽게 깨물었어요.
"으웩, 퉤퉤. 아이고 시다."
거북은 씀바귀를 뱉어 냈어요.

“그럼 고소한 땡감을 먹어 보렴.”

여우가 덜 익은 감을 따 주었어요.

“에, 퉤퉤. 아이고, 고소해”

거북은 침을 퉤퉤 뱉었어요.

“바다에서는 이런 맛을 못 봤지?

난 바빠서 가야 해.

맛있는 음식을 많이 구해 가렴.”

여우가 꼬리를 살랑살랑 흔들면서 가 버렸어요.

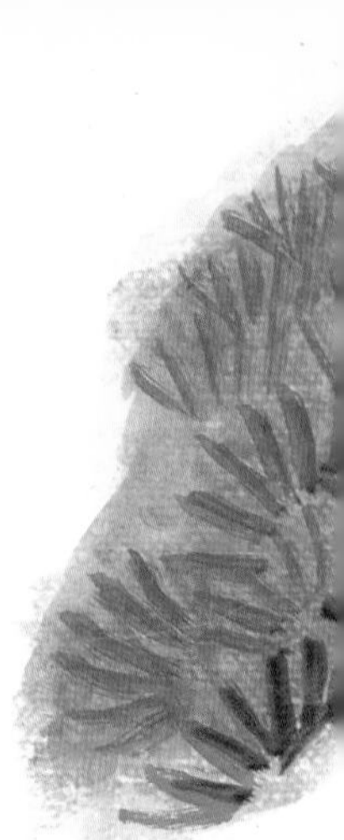

거북은 음식을 구하러 엉금엉금 기어갔어요.
거북은 이리저리 헤매다가 토끼네 집에 이르렀어요.
마침 토끼들이 잔치를 벌이고 있었어요.
"안녕? 나는 바다에서 올라온 거북이야.
맛있는 음식을 구하러 왔어."
거북이 잔치에 모인 토끼들에게 말했어요.
"그래? 어서 이리 앉으렴."
토끼들은 거북을 반가이 맞이해 주었어요.

토끼들은 거북에게 푸짐하게 상을 차려 주었어요.

"이건 감이야."

흰토끼가 감을 가리켰어요.

"에이, 감은 고소해서 싫어."

거북이 말했어요.

"감이 고소하다고?"

토끼들은 고개를 갸웃거렸어요.

"그럼 이 고추를 먹어 봐."

잿빛토끼가 고추를 집어 주었어요.

"에이, 고추는 달아서 싫어."

거북이 고개를 저었어요.

"고추가 달다고?"

토끼들은 서로서로 얼굴을 바라보았어요.

"난 매운맛이 좋아. 매운 꿀은 없니?"

거북이 물었어요.

"매운 꿀이라고?"

토끼들은 모두 웃음을 터뜨렸어요.

"바닷속에서는 맛이 뒤죽박죽인가 봐.

우리는 감은 떫다고 하고,

고추는 맵다고 하고,

꿀은 달다고 해."

검정 토끼가 말했어요.

'아차, 여우한테 속았구나.'

거북은 얼굴이 새빨개졌어요.

'씩씩, 어디 두고 보자.'

거북은 여우를 혼내 주기로 마음먹었어요.

"여우야, 여우야. 맛있는 꿀떡을 잔뜩 가져왔어."
거북은 여우를 찾아갔어요.
"캥캥, 그래?"
여우가 폴짝 뛰어나왔어요.
'우물우물, 꿀꺽. 우물우물, 쩝쩝.'
여우는 입 안에 꿀떡을 하나 가득 집어 넣었어요.
"아이고, 짜라. 물, 물, 물."
갑자기 여우가 팔딱팔딱 뛰었어요.
"벌꿀은 달콤달콤 단맛, 고추는 매콤매콤 매운맛,
석류는 시큼시큼 신맛, 씀바귀는 씁쓰름 쓴맛,
땡감은 떫떠름 떫은맛,
꿀떡 속에 넣은 소금은 짭짤짭짤 짠맛."
거북은 노래를 부르면서 바다로 돌아갔어요.

우리는 어떤 맛을 느낄까요?

매운맛이 나요

고춧가루 고추 양파 마늘

맛을 못 느끼면 어떻게 될까요?

우리가 먹는 음식들은 저마다 다른 맛과 냄새를 지니고 있어요. 음식은 자신의 성질을 맛과 냄새로 표현하지요. 우리는 맛을 보고 먹을 수 있는 음식인지 먹을 수 없는 음식인지 알아 내요. 맛이 좋은 음식은 몸에도 이롭지요. 우리 몸에 해로운 음식은 맛도 냄새도 고약하답니다.

혀는 어떤 일을 할까요?

혀를 쭉 내밀고 거울을 들여다보세요. 혓바닥에 아주 작은 봉오리들이 촘촘히 있지요. 이게 맛봉오리예요. 맛봉오리에 음식물이 닿으면 맛을 알 수 있어요. 혀는 맛을 보는 것 말고도 하는 일이 많아요. 이가 음식을 잘 씹도록 굴려 주고 침도 골고루 섞어 주지요. 또 음식이 잘 부숴졌는지 검사해서 목구멍 안으로 밀어넣어 주지요.

짠맛이 나요

절인 고등어 소금 간장

왜 음식은 간이 맞아야 맛있을까요?

짠맛은 매우 중요한 맛이에요. 사람이나 동물은 핏속에 소금기가 있어요. 우리는 몸에 소금기가 없으면 살 수가 없어요. 그래서 음식에 소금기가 알맞게 들어가야 맛이 있다고 느끼지요. 땀을 많이 흘리는 여름이 되면 짠 음식을 자꾸 찾게 돼요. 우리 몸에 있던 소금기가 밖으로 많이 빠져 나갔으니까 어서 채우라는 신호인 셈이에요.

왜 감기에 걸리면 입맛이 없을까요?

혀가 맛을 알아 내려면 코의 도움을 받아야 해요. 코를 꽉 틀어막고 양파즙이랑 사과즙을 마셔보세요. 어느 게 양파인지 어느 게 사과인지 알 수가 없을 거예요. 냄새를 못 맡으면 맛도 잘 알 수가 없어요. 감기에 걸리면 코가 막혀서 냄새를 잘 못 맡아요. 그래서 입맛도 없어지지요.

단맛이 나요

꿀 감초 사탕 엿

떫은맛이 나요

왜 단맛은 누구나 좋아할까요?

우리 조상들은 단맛을 느끼는 것이 매우 중요했어요. 단맛을 모르면 나무 열매가 잘 익었는지 덜 익었는지 알아 낼 수가 없었으니까요. 잘 여문 당근이나 감자를 씹어 보세요. 달착지근한 맛이 우러나지요. 잘 익은 과일도 마찬가지예요. 단물이 가득 차 있는 것 같지요. 곡식도 잘 여물어야 단맛이 많이 나요. 그러니까 단맛이 좋게 느껴지는 것은 잘 여문 음식을 먹으라는 뜻이겠지요.

신맛이 나요

왜 음식은 때에 따라 맛이 다를까요?

같은 닭고기라도 오랜만에 먹으면 맛이 좋지만 자주 먹으면 싫어지지요. 배가 불러서 그런 것도 아닌데 왜 그럴까요? 우리 몸이 음식하고 이야기를 나누기 때문이에요. 필요한 성분이 충분히 들어왔으니까 그만 먹으라는 신호를 하는 셈이지요. 그래서 몸에 필요한 음식을 보면 입맛이 쩍쩍 당기고 필요 없는 음식을 보면 느끼하다는 느낌이 살아나지요.

쓴맛이 나요

먹고 싶은 음식은 다 몸에 좋을까요?

그런데 공장에서 만들어 낸 음식이나 화학 조미료를 많이 넣은 음식을 자꾸 먹으면 몸이 스스로 조절하는 힘을 잃게 돼요. 입맛을 잃어버리지요. 그래서 아이스크림이나 초콜릿처럼 해로운 음식도 자꾸 먹고 싶어져요. 아이스크림이나 초콜릿은 이빨도 썩게 하고, 몸도 뚱뚱하게 하니까 우리 건강에는 아무 도움도 못 주지요. 그러니까 자연에서 나는 음식을 많이 먹어서 입맛을 안 잃어야 몸이 튼튼해진답니다.

그린이 · 서은영
서은영 님은 1966년 서울에서 태어났습니다.
동덕여자대학교에서 서양화를 전공했습니다.
제2회 황금도깨비상에서 가작상을 받은 '공룡도시'를 그렸습니다.

글쓴이 · 보리
보리는 좋은 책을 만들려는 사람들이
모여서 이룬 공동체입니다.
보리는 아이들을 위한 책이나
교육에 관련된 책들을 기획하고, 편집합니다.
그 동안 지은 책으로는
웅진출판주식회사에서 펴낸
올챙이 그림책 60권이 있습니다.

달팽이 과학동화 47 매운 꿀은 없나요

펴낸이 · 백석기/펴낸데 · 웅진출판주식회사 서울특별시 종로구 인의동 112-1/편집국 편집개발부 · 762-9358,766-6563/출판등록 · 1980.3.29 제 1-352/분해제판 · (주)그래픽아트/박은곳 · (주)고려서적/박은날 · 1996년 11월 9일 초판 14쇄/펴낸날 · 1996년 11월 20일 초판 14쇄 /편집기획 · 윤구병/글 · 보리/그림 · 서은영/사실화 · 이원우/편집책임 · 차광주/편집 · 강순옥, 김마리, 김용란, 심조원, 유문숙, 이춘환/미술 · 이효재, 끄레디자인서비시스/값5,000원

ISBN 89-01-00969-2
ISBN 89-01-00922-6 (세트)